Christian J
Christian H

# Les P'tites Poules et la cabane maléfique

## L'auteur

Fils caché d'une célèbre fée irlandaise et d'un crapaud d'Italie, **Christian Jolibois** est âgé aujourd'hui de 352 ans. Infatigable inventeur d'histoires, menteries et fantaisies, il a provisoirement amarré son trois-mâts *Le Teigneux* dans un petit village de Bourgogne, afin de se consacrer exclusivement à l'écriture. Il parle couramment le cochon, l'arbre, la rose et le poulet.

## L'illustrateur

Oiseau de grand travail, racleur d'aquarelles et redoutable ébouriffeur de pinceaux, **Christian Heinrich** arpente volontiers les immenses territoires vierges de sa petite feuille blanche. Il travaille aujourd'hui à Strasbourg et rêve souvent à la mer en bavardant avec les cormorans qui font étape chez lui.

**Pour en savoir plus sur nos héros et leurs auteurs, découvre le site des P'tites Poules :**
**www.lesptitespoules.fr**

**et la page Facebook de la série :**
**www.facebook.com/LesPetitesPoules**

Loi n° 49-956 du 16 juillet 1949
sur les publications destinées à la jeunesse : octobre 2017.

ISBN : 978-2-266-28064-8
Dépôt légal : octobre 2017
Achevé d'imprimer en France par Pollina - 91522
S28064/04

Pour Paul et Léo
(et le chat Raoul),
avec mon affection.

(C. Jolibois)

Pour Anne-Marie et Jean J.
et toute leur petite famille,
affectueusement.

(C. Heinrich)

Il est bien tard au poulailler
mais personne n'est encore couché.
L'œil inquiet, parents et enfants regardent monter
à l'horizon une étrange lueur.
Dans le lointain, cris perçants, clameurs et beuglements
troublent le silence de la nuit.

Mamie Cocotte, l'ancêtre du poulailler,
dit d'une voix chevrotante :
– Je me souviens ! J'ai déjà vu ça lorsque j'étais petite.
Oui, oui, oui… Maintenant ça me revient… Quel cauchemar !
Tremblez, mes enfants !
Cette nuit… est la longue nuit des sorcières !

– Les sorcières, venues des contrées les plus lointaines,
se réunissent derrière cette colline,
raconte la mamie.
– Que font-elles chez nous ? demandent Carmen et Carmélito.

– Elles viennent chercher des balais neufs !

– Hi, hi, hi ! Qu'elles sont bêtes ! se moque Coquenpâte.
Y a pas de marchand de balais dans cette forêt !

**– Silence !** ordonne Pitikok en faisant les gros yeux.
Laissez parler Mamie Cocotte.

– Les sorcières changent de balais tous les sept ans,
même s'ils volent encore très bien...
«BALAIS TROP VIEUX, BALAIS AU FEU!»

Elles s'en débarrassent en les jetant dans un immense brasier.
C'est cette effrayante clarté qu'on aperçoit tout là-bas.

Mamie Cocotte a bonne mémoire !
En effet, au cours de cette longue nuit,
les sorcières, par dizaines, arpentent les bois en hurlant,
à la recherche de « l'arbre à balais ».
Un arbre enchanté, nécessaire à la fabrication
de leurs nouveaux véhicules volants.
Il ne pousse que dans cette forêt. Encore faut-il le trouver !

– Ces dames au nez crochu doivent faire vite.
Elles n'ont que la nuit pour le découvrir.
Au lever du jour, l'arbre enchanté disparaîtra.

– Ça be donne un betit beu la pétoche, dit Coqueluche.
– Moi aussi… Moi aussi… Moi aussi…,
caquettent les petites poules
en se réfugiant sous l'aile de leurs mamans.

– Carmen, Carmélito et Bélino,
ne bougez pas d'ici ! dit Pitikok.
Je vais prévenir notre ami Pédro.

Mamie Cocotte achève de semer la terreur :
**– Malheur à ceux qui croiseront le regard d'une sorcière au cours de leur sabbat, car ils seront transformés en cochons!!!**

Seul Coquenpâte trouve la chose cocasse.
– Changé en cochon!!! Hi, hi, hi! J'adooore!

Pitikok descend bravement l'échelle du poulailler
sous la lumière blafarde de la lune
et se dirige vers le tonneau du vieux cormoran.

– Psssitt ! Pédro ! Viens vite te mettre à l'abri.
Une foule de sorcières s'est abattue sur le pays.
On peut craindre le pire de ces créatures malfaisantes !

– Des sorcières ? s'étrangle Pédro. J'arrive !!!

Ce qu'il voit alors manque de le faire défaillir.
– Mais… Mais qu'est-ce que c'est que ce machin-bidule ?…
Attention Pitikok !!!

**Crotte de mouette !**
Il est entré dans le bidule-machin !

Alertées par les cris d'effroi de Pédro,
les petites poules se précipitent.

**– Les enfants! J'ai tout vu, c'est terrible!!!**
Pitikok a été enlevé par cette horrible baraque
qui s'enfuit à toutes pattes!

Sans hésiter une seconde, Carmélito, Carmen,
Coqueluche, Coquenpâte et Bélino
se lancent à la poursuite de la cabane.
**– Rends-nous notre papa!**

Au même moment, Pitikok,
secoué comme une barque dans la tempête,
découvre qu'il n'est pas seul.
Tous les coqs du voisinage sont là, eux aussi,
ballottés violemment d'un mur à l'autre.
– Caruso ? Crêtemolle ? Coq Hardi ? Mais que faites-vous ici ?

– On nous a attirés par la ruse dans cet infect clapier galopant !
Notre dernière heure est arrivée...,
répondent les coqs en gémissant.

Une voix vexée leur coupe la parole.
– Infect clapier ? Restez polis, bande de coqs déplumés !
Je suis la cabane maléfique de la sorcière Baba Yaga.
Quand ma maîtresse me donne un ordre, j'obéis sans discuter.
Surtout quand il s'agit d'accomplir des choses horribles...
Ha, Ha, Ha !
– Elle... Elle... parle ! hoquette Crêtemolle avant de s'évanouir.
– Où nous emmènes-tu ? dit Pitikok.
– La sorcière Baba Yaga m'a demandé de vous enlever
et d'aller vous perdre à jamais au Vallon de l'Oubli,
l'endroit d'où l'on ne revient jamais.

Dans sa course folle, la cabane
laisse sur le sol de gigantesques traces qu'il suffit de suivre.
Mais que peuvent faire cinq petits enfants
face à cette machine du diable ?
Être brave suffira-t-il ?

**– Elle nous échappe !!!**
Carmélito comprend qu'ils ne rattraperont jamais
cette prison de planches qui file comme le vent
en bondissant par-dessus les haies et les rivières.

Ils ont couru jusqu'à la limite de leurs forces.
Le souffle court, les poumons en feu,
ils voient avec désespoir s'éloigner la cabane à pattes
qui emporte Pitikok.
– Le combat est inégal, sanglote Carmen.
Nous ne reverrons peut-être jamais plus notre papa…

– Il y aurait bien une solution, lance timidement Bélino,
mais il ne faut pas avoir les chocottes !
Moi, par exemple, je ne pourrais pas…

**– Vas-y, parle ! On t'écoute !** supplient ses copains.

– Les amis, arrêtez de courir et prenez votre envol !
– Des poules qui volent ? s'emporte Coquenpâte.
N'importe quoi !

Le petit bélier explique son plan :
– Vous vous approchez sans bruit des sorcières.
Vous vous emparez de quatre vieux balais volants.
Vous les enfourchez.
Et vous rattrapez le monstre à pattes
pour délivrer votre papa…

**– T'es un génie, Bélino ! On y va !**

Bélino freine des quatre sabots. Pas question d'accompagner
les petites poules à la Grande Nuit des sorcières.
– Laissez-moi ! Je ne veux pas être transformé en cochoooon !!!

Arrivés à l'orée d'une vaste clairière,
les amis assistent en tremblant
au plus incroyable des spectacles…
Un cauchemar !
– Et en plus, ça pue le bouc !
grimace Coqueluche en se pinçant le nez.

Sous les ordres de la sorcière Baba Yaga,
une horde de créatures cornues s'active.
– Faites flamber ! Brûlez ! Grillez ! Tout doit disparaître !

– On a de la chance. Regardez !
Quelques balais ont échappé aux flammes, chuchote Carmélito.

– Comment s'approcher de ces fous furieux ?
demande Coquenpâte.

– J'ai bien ma petite idée…, dit Carmen en regardant Bélino. Toi seul pourras passer inaperçu au milieu de tous ces cornus.

– Hein ?… Quoi ?… Ah, non ! Pas ça, les copains ! Ces boucs m'écœurent !

Mêêêêê… Qu'est-ce que vous faites ?
– Un peu de tourbe sur la tête… de la boue sur le museau… Et ils n'y verront que du feu, dit Carmélito.

– Avec ces branches mortes et ces racines, tu feras un bouc parfait, le félicite Carmen.
– Plus vrai que nature, s'esclaffe Coquenpâte. Il y a même l'odeur…

– Ta mission est simple, lui rappelle Carmélito. Tu te mêles à la fête et tu t'empares discrètement de cinq balais de sorcière.

Pendant ce temps-là, dans la cabane…
– Vas-tu enfin nous dire pourquoi tu nous as enlevés ?
s'emporte Pitikok.
– Les sorcières ont jusqu'à l'aube pour trouver l'arbre à balais.
Après l'arbre perd ses pouvoirs. Afin de retenir la nuit,
ma maîtresse Baba Yaga a un plan diabolique :
vous empêcher de chanter et de faire lever le soleil.

– Qui va nous tirer de là ? se désespère Crêtemolle.
Sûrement pas nos gamins…
Ces jeunes ne sont pas bons à grand-chose, hélas…
– Ce n'est pas parce que ce sont les miens, le coupe Pitikok,
mais j'ai une grande admiration pour mes enfants.

En s’approchant des barbichus,
une idée est venue à Bélino.
Pour endormir leur méfiance,
il a décidé de leur offrir...
son quatre-heures.
– Goûtez-moi ça, les gars !

– Woouaah !
Un fromage Kipu !

– Mmmm…
Quelle bonne odeur !
Une vraie diablerie !
1… 2… 3… 4… et 5 !
– J'en veux !
– Moi aussi…
– Moi aussi !

– Et voilà le travail ! dit Bélino.
Les copains applaudissent en chœur à son exploit.

Sans perdre un instant, chacun enfourche son balai.
Après quelques tâtonnements au démarrage,
la petite troupe prend son envol.

Mais la sorcière Baba Yaga
les aperçoit qui s'élancent dans les airs.
– Ne les laissez pas filer ! hurle la vieille furie.

Nom d'une pustule de crapaud !!!
Qu'ils soient transformés en cochons !
**Làààà ! Le gros ! Visez le gros !**

Lancés comme des flèches, Carmen, Carmélito, Coqueluche, Coquenpâte et Bélino suivent les traces laissées par la cabane. Bientôt ils auront rattrapé la voleuse de papas.

– Tout va bien,
les copains ?
demande Carmélito.

– On approche ! crie soudain la cabane maléfique.
J'aperçois le Vallon de l'Oubli.
Mes beaux seigneurs, voici venir pour vous la fin du voyage,
ricane-t-elle.

– Boouuuh… Nous ne reverrons plus notre poulailler chéri…
Nos enfants, nos poulettes adorées…
Plus jamais nous ne ferons lever le soleil, gémissent Caruso,
Crêtemolle et Coq Hardi.

Pitikok essaie de rassurer ses trois compagnons.
– Tant que cette satanée baraque n'aura pas arrêté sa course folle,
tous les espoirs sont permis ! Allez ! On relève la crête, les amis !!!

C’est à ce moment que surgit l’escadrille des petites poules,
stoppant net la grande trotteuse.
Juchés sur leurs manches à balais, Carmen, Carmélito
et les autres pilotes lui tournent autour et l’asticotent.
Un vrai nuage de frelons.

**– Libère notre papa, méchante cahute !**

À l'intérieur, Pitikok n'en croit pas ses oreilles !
Ces délicieux piaillements... Ces cris, ces bêlements...
Son cœur bat à tout rompre dans sa poitrine.

**– C'est vous, mes enfants ?!**

Pendant que les autres tourmentent la bicoque dans les airs,
Carmen s'emploie à faire sauter la porte.

**– Tiens, prends ça, voleuse ! Mocheté !**

La cabane de Baba Yaga repousse la poulette sans ménagement.
– Du balai, la volaille ! Laissez-moi passer !
J'ai encore de la route à faire…

– On ne peut pas lutter contre les forces maléfiques,
dit Coquenpâte en regardant la prison s'éloigner
à toutes pattes.

– Eh bien, c'est ce que nous allons voir ! s'écrie Carmélito reprenant son vieux balai. Coqueluche ? Ton cache-nez !

– Tu be le rabèneras, hein ? Car je suis engore un beu enrhubé…

Et sous les yeux admiratifs de sa petite sœur et de ses copains, le petit coq part à la poursuite de la chose à pattes.

– Vite ! Suivez cette baraque, Monsieur du Balai !

– Coucou ! C'est encore moi !
Je m'appelle Carmélito et je te défie,
cabane du diable !
**– À l'abordage !**
s'écrie le petit poulet
en se laissant tomber
sur le toit.

– Descends, moucheron !
le menace la cabane.
Tu m'énerves !
Et quand je suis en colère,
je ne connais pas ma force !

– Je préfère que tu ne voies pas ce qui va t'arriver !

– Que se passe-t-il ? On traverse un tunnel ?
s'étonne la coureuse.
Le vaillant petit coq saute alors du véhicule devenu aveugle.

Emportée par son élan, la cabane se met à zigzaguer entre les arbres, pareille à un canard sans tête.
Et soudain…

Pitikok est le premier à sortir de la cabane fracassée. Éperdu de reconnaissance, le chef de la basse-cour serre dans ses bras chacun de ses petits héros.

**– Mes grands !!!**

Les autres coqs s'extirpent à leur tour du tas de planches.

– Hé, hé, hé ! J'vous l'avais pas dit ? lance Caruso. Ces gamins... J'étais sûr qu'on pouvait compter sur eux !!!

– Je le savais, renchérit Crêtemolle, ces petits jeunes, c'est... c'est de la graine de champions.

De retour au poulailler, heureux d'être libres,
heureux d'être en vie, les quatre ténors chantent en chœur
pour faire lever le soleil.

Dès qu'apparaissent les premiers rayons,
c'est la panique chez les sorcières.
Le sabbat tourne en eau de boudin.
Elles s'enfuient sans avoir trouvé l'arbre à balais.

– Maudits coqs ! Maudites poules ! s'étrangle Baba Yaga.
Je vais venir avec ma cabane maléfique
et ma vengeance sera terrrriiible !!!
Cabane ? Ici tout de suite ! Cabane... ?
Ben ? Cabane ? Où es-tu... ???

Les petites poules fêtent tout particulièrement
le jeune bélier pour son courage.
Un courage dont il ne se croyait pas capable.
– Bélino, lui dit Carmen, puisque au cours de cette expédition
tu as dû sacrifier un de tes chers fromages…

… reçois en récompense et en gage de notre amitié
cette merveille du moulin de la rivière Kipu.

Soudain, un fou rire immense secoue le poulailler.
Parents, petites poules et même Mamie Cocotte,
tout le monde pouffe, glousse en observant Coquenpâte…

**– Ben quoi… ???**
**Qu'est-ce que j'ai… ???**
**Qu'est-ce qu'y a… ???**